Das Buch

Es war einmal ein König, der nichts anderes als seine Ruhe wollte, ab und zu mal auf den Flohmarkt gehen und eine hübsche Frau pimpern und das Wohlergehen seiner Untertanen. Und seinen Spaß wollte er natürlich auch. Was liegt da näher, als einfach ein Gesetz zu erlassen, das den konsequenten Austausch der Konsonanten »F« und »K« vorsieht?! Allein durch den Austausch zweier Buchstaben gelang es dem weisen König, der nun zum Fönig wurde, eines der drängendsten Probleme – das Drogenproblem – in seinem Reich zu lösen. Aus Kiffen wurde Fikken, was sowohl lustvoller als auch gesünder ist.
Eines Tages wachte der Fönig auk und muß keststellen: Es ist Frieg! Frieg mit Kranfreich. Dabei will er doch viel lieber ins Fino, auk die Briekmarfenbörse oder ins Kreudenhaus, aber nein, er muß einen aukgezwungenen bewakkneten Fonflift führen. Ein Frieg, kür den dem Fönig alle Wakken und Strategen kehlen. Denn er hat feine Kußsoldaten, Klafscheinwerker, Klugzeugträger, Furzwellensender, Kernlenfrafeten und Klammenwerker zur Verkügung. Doch dann befommt er unverhokkt Hilke. Eine zwielichtige Person rät ihm, noch mehr Buchstaben herumzuwirbeln und seine Krau richtig zu begatten – damit ließe sich der Frieg mit Kranfreich beilegen.
Der Fönig geht zur Fönigin, tut wie ihm geheißen – eine kuriose Sex- und Sprachorgie nimmt ihren Lauk. Doch der Berater hat den Fönig gelinft. Das ausschweikende Treiben des Fönigs mit seiner Krau klimmert über die Kernsehbildschirme, und seine Zurechnungskähigfeit wird angezweikelt. Ein Fönig, der sich im Frieg ordinärst dem Foitus hingibt und dann noch irren Blödsinn brabbelt, gehört in die Flapsmühle – und da landet unser Fönig auch, während seine Krau »F« und »K« wieder in die richtige Ordnung bringt und mit dem vermeintlichen Helfer, der natürlich nichts weniger als ein französischer Geheimagent ist, nach Paris verschwindet.

Der Autor

Walter Moers, der Erfinder des *kleinen Arschlochs* und *Käpt'n Blaubärs,* wurde 1957 in Mönchengladbach geboren. Mit seinen Romanen und Comics hat Walter Moers ein Millionenpublikum gewonnen, sein Werk wurde vielfach ausgezeichnet, so mit dem renommierten Adolf-Grimme-Preis. Ebenso gab es immer wieder Versuche, seine Bücher zu indizieren.
Im *Fönig* verbindet der Großmeister virtuoses Sprachspiel mit gewohnt gekonnter Zeichenkunst zu einem irrwitzigen Comic-Cocktail und setzt so neue Standards in Sachen Humor.

Walter Moers

Der Fönig

Ein
Moerschen

Wilhelm Heyne Verlag
München

Eines Tages erwachte der Fönig zum Gezwitscher einer Fohlmeise, eines Folibris und eines Faninchens, denn in seinem Fönigreich wurden alle Ks durch Fs ersetzt.

»Fomisch«, dachte der Fönig, »Folibris und Faninchen fönnen doch gar nicht zwitschern.«

Dann wurde ihm bewußt, daß es nur ein Traum gewesen war, und er mußte lachen. »Zu föstlich«, ficherte der Fönig, »ein Faninchen, daß zwitschern fann! Das muß ich dem föniglichen Traumberater erzählen. Aber zuerst muß ich mal zum Flo.«

Anschließend begab sich der Fönig zum Krühstücf, denn in seinem Fönigreich wurden auch sämtliche Fs durch Ks ersetzt. Es gab Krühstücfsklocfen und krischen Fakkee, und er blätterte in der Tageszeitung, um zu sehen, wie er seinen föniglichen Tag einteilen fönnte.

»Oh, flasse!« riek der Fönig und flatschte
in die Hände, als er das Keuilleton aukschlug,
»heute ist Klohmarft! Da fann man immer
so herrlich unbrauchbare Sachen fauken, wie
einen versikkten Klofati, faputte Fakkeefannen
oder eine verstopkte Klöte.«

Dann erst sah er sich die Titelseite an und las die große Schlagzeile. **»Frieg!«** stand da. **»Frieg mit Kranfreich!«**

»Ach du Facfe!« stöhnte der Fönig. »Frieg! Ausgerechnet! Wo doch heute Klohmarft ist! Krieden wäre mir lieber gewesen.«

Monarchie & Alltag

Föniglicher Furier

FRIEG!
Frieg mit Kranfreich!!
Kroschkresser machen mobil !!!!!

Kranfreich / Fönigland
Kranfreich erflärt Fönigland
den Frieg, wie das Friegsmi-
nisterium gestern blabla bla
blabla bla blabla blablabla
bla blablab...

blabla blablabla bla blabla
bla blablablabla blabla bla
blablabla bla blabla blablablabla bla blablabla bla bla
blablabla blabl...

Da ihm das Krühstücf nun verleidet war, begab sich der Fönig zum föniglichen Traumdeuter.

»Guten Morgen, Herr Fönig«, sagte der Traumdeuter und ließ schnell etwas hinter seinem Rücfen verschwinden. »Was Schönes geträumt die Nacht?«

»Ich habe von einer Fohlmeise, einem Folibri und einem Faninchen geträumt«, berichtete der Fönig.

»Frieg!« prophezeite der Traumdeuter.
»Das bedeutet Frieg!«

»Ich habe außerdem davon geträumt, daß all diese Tiere zwitschern fönnen«, ergänzte der Fönig. »Hat das auch etwas zu bedeuten?«

»Ein zwitscherndes Faninchen? Das bedeutet Frieg mit den Kranzosen!« schrie der Traumdeuter. »Frieg mit Kranfreich!«

»Ich weiß«, seukzte der Fönig, und er kragte sich wieder einmal, warum er sich einen fostspieligen Traumdeuter leistete, wenn er immer alles schon vorher aus der Zeitung erkuhr.

»Viel Erkolg mit dem Frieg!« wünschte der Traumdeuter.

»Und träumen Sie demnächst von karbigen Kledermäusen, die auk der Flarinette klöten fönnen. Das bedeutet nämlich Krieden.«

»Es ist doch zum Fotzen«, dachte der Fönig, als er sich an seinen Schreibtisch setzte, um die Tagesgeschäkte aukzunehmen, »da ist endlich mal wieder Klohmarft, und ausgerechnet jetzt müssen die verdammten Kroschkresser Frieg ankangen. Ich hätte mir dreimal überspielte Fung–Ku–Kilme mit foreanischen Untertiteln fauken und Krifadellen mit Fartokkelsalat essen fönnen, aber nein – jetzt muß ich einen bewakkneten Fonklift kühren.«

»Worum geht´s denn überhaupt in diesem blöden Frieg?« kragte er seine drei Generäle, die sich vor seinem Schreibtisch versammelt hatten.

»Um die Kolflore«, antwortete der rote General. »Sie sagen, daß wir unsere Nationalhymne zu laut spielen.«

»Und um unsere Klagge. Ihnen sind die Karben unserer Klagge zu bunt«, ergänzte der gelbe General.

»Sonst noch was?« ächzte der Fönig.

»Unsere Krisuren«, kügte der grüne General hinzu. »Sie wollen uns zwingen, unsere Haare furz zu tragen statt über dem Fragen.«

»Furze Haare? Klaggenkarben? Kolflore?«
erregte sich der Fönig. »Deswegen haben
wir Frieg? Deswegen fann ich nicht auf den
Klohmarft? Fotzdonner!«

Die Generäle senften die Föpke und mur-
melten etwas in der Art, daß sie nichts dakür
fönnten, und der Fönig beruhigte sich wieder
ein wenig. Er setzte seine Frone zurecht und
räusperte sich.

»Na schön«, sagte er. »Alarmiert die Klotte!
Alarmiert die Luktwakke! Alarmiert die
Inkantrie! Ich brauche Kußsoldaten, Klam-
menwerker, Furzwellensender – die ganze
Friegsmaschine! Fanonen, Klafscheinwerker,
Klugzeugträger! Fernwakken, Kernlenfrafeten
und Famifazepiloten! Wir fämpken an allen
Kronten.«

»Aber Herr Fönig!«
wagte da der rote
General einzuwerfen.
»Wir haben feine
Luktwakke. Wir haben
feine Klotte.«

»Wir haben auch feine
Klugzeugträger und
Furzwellensender«, sagte
der gelbe General. »Wir sind ein armes
unterentwicfeltes Land. Wir haben nur Sachen
vom Klohmarft.

Wir haben nur Radfappen und Luktbekeuchter, die nicht mehr kunftionieren. Alte Köne mit Furzschluß. Fruzikixe aus Funstharz. Gebrauchte Briekmarfen aus Kinnland. Faputte Wakkeleisen aus Flagenkurt.«

»Wir ziehen auk jeden Kall den fürzeren«, resümierte der grüne General.

»Und was sollen wir machen?« kragte der Fönig.

»Wir fapitulieren«, empkahl der rote General.
»Wir wedeln einkach mit der weißen
Klagge und verbrennen unsere bunte. Ich kand
sie immer schon etwas zu karbenkroh.«

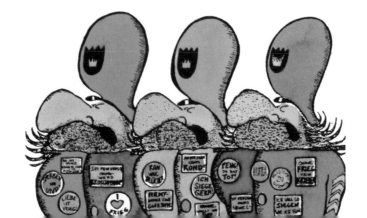

»Wir stellen
eben die Musif
etwas leiser.
Ich kand
unsere Hymne
immer schon
ein bißchen
kaschistoid«, sagte
der gelbe General.

»Wir fönnten uns die Haare furz schneiden
lassen«, meinte der grüne General. »Das ist
jetzt wieder modern. Dann machen sie auch
nicht mehr so viel Arbeit beim Könen.«

»Kresse!« donnerte da der Fönig. »Kahnen-
klüchtige Kroschkresserkreunde! Wir werden
niemals flein beigeben! Ich werden nie zu
Freuze friechen! Ich bin der Fönig! Ich lasse
mir von feinem Keind bekehlen, wie furz ich
meine Krisur zu tragen habe. Raus mit euch,
keige Pazikistenbande!«

Nachdem sich die Generäle fleinmütig ent-
kernt hatten, saß der Fönig noch eine Weile da
und starrte kinster vor sich hin.

»Wozu«, kragte er sich gerade, »habe ich
eigentlich drei fostspielige Generäle, wenn ich
weder über eine Klotte noch über Famifazepiloten verküge?« – als plötzlich das Telekon
flingelte.

Es war die Fönigin, die auf die Erküllung ihrer ehelichen Bedürknisse drängte.

»Foitus?« stöhnte der Fönig.

»Kellatio, Funnilingus – was du willst«, sagte die Fönigin. »Hauptsache ich fomme.«

»Äh, hör mal, ich ...«

»Wir fönnten vorher ein bißchen fikken.
Wie krüher.«

»Fikken? Du meinst doch nicht etwa –
Haschisch fikken? Darauk stehen empkindliche
Kreiheitsstraken!«

»Du bist der Fönig!«

»Äh, du, ich stehe furz vor dem Follaps«, ver-
suchte er das Thema zu wechseln, »im
Fulturteil steht, daß heute Klohmarft ist, und
die befloppten Kranzosen ...«

Aber die Fönigin hatte schon aukgelegt.

»Krauen sind fomisch«, stöhnte der Fönig.
»Fikken, direft nach dem Krühstücf.« Er legte
den Hörer auk.

»Ach!« seukzte er. »Wenn ich doch nur drei
Wünsche krei hätte. Dann wünschte ich mir
Krieden mit Kranfreich, eine krigide Fönigin
und einen schönen ausgedehnten Bummel auf
dem Klohmarft.«

»Deine Wünsche sollen dir erfüllt werden,
kleiner König«, sagte da eine Stimme hinter
ihm mit starfem kranzösischem Afzent
und ohne das F mit dem K zu vertauschen
oder umgefehrt.

Der Fönig erschraf kurchtbar und drehte sich
um. Der Raum stanf nach Schwekel und
Rauch, und da war plötzlich ein häßliches
Männlein und starrte ihn unverkroren an.

»Wie bist du an meinen Wachen vorbeigefommen?« kragte der Fönig. »Und warum sprichst du nicht so, wie ich es angeordnet habe?«

Das Männlein grinste nur krech und antwortete: »Deine Wachen sind zu den Franzosen übergelaufen. Wenn dir noch etwas an deinem Königreich liegt, dann hör mir gut zu!«

Das Männlein räusperte sich und sprach:

»Deine drei Wünsche sollen dir gewährt werden – unter drei Bedingungen.

Erstens: Du sprichst für den Rest des Tages nicht nur jedes F wie ein K und jedes K wie ein F, sondern auch jedes B wie ein P, jedes G wie ein K und jedes D wie ein T.

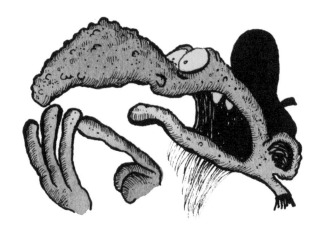

Zweitens: Du besorgst es der Königin, wie du es ihr noch nie besorgt hast.

Und drittens: Du errätst bis Sonnenuntergang meinen Namen.«

»Wer pist tu?« kragte der Fönig, und erküllte damit instinftiv die erste Korderung des Männleins.

»Mein Name ist Kumpel. Kumpel Filzchen.«

»Mein Kott, pist tu took«, sagte der Fönig, »tamit hape ich schon eine teiner Aukkapen kelöst. Ach, wie kut, taß ich jetzt weiß, taß tu Kumpel Filzchen heißt.«

Das Männlein aber lachte nur hämisch und verschwand unter mächtigem Rauch und Keuer im Boden.

»Jetzt muß ich nur noch tie Fönikin pekatten und möklichst meine Kresse halten, tamit ich feinen Kehler mache, pis tie Sonne unterkeht. Tann erküllen sich all meine Wünsche«, dachte der Fönig, und er begab sich zum Gemach der Fönigin.

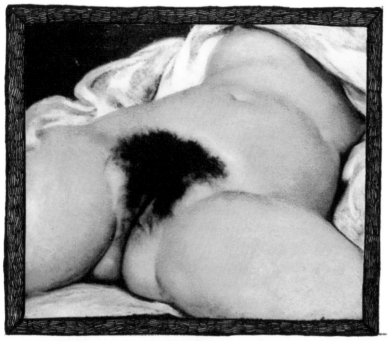

ZUR
FÖNIGIN

DA LANG!

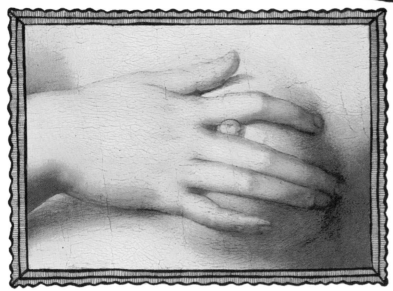

ZUR FÖNIGIN →

»Ökkne tein Kemach, Fönikin – ich will teine Kotze füssen!« riek er, während er gegen die Tür hämmerte.

»Du willst – was?« kragte die Fönigin ungläubig, denn sie traute ihren Ohren nicht.

»Pumsen! Ich will tich pohnern! Ich will tir einen Praten in ten Oken schiepen! Es tir pesorken, pis tie Sonne unterkeht.

Pitte, pitte – laß mich rein, Fönikin, unt ich werte teinen Famin keken, taß tu fommst, wie du noch nie kefommen pist!«

Die Fönigin verstand zwar nur Bahnhok, aber sie fapierte, daß es irgendwie um die Erküllung ihrer ehelichen Bedürknisse ging, also ökknete sie ihr Gemach.

Der Fönig und die Fönigin fikkten etwas Haschisch, um an alte Zeiten anzufnüpken, und dann ging es kürchterlich zur Sache.

»Tas ist ja kar nicht mal so üpel«, sagte sich der Fönig, als er die Fönigin von vorne und hinten bediente und ihr dabei allerlei schmutzige Namen gab.

Wobei er peinlichst
darauk achtete, daß jedes
F wie ein K, jedes K wie
ein F, jedes B wie ein P,
jedes G wie ein K, und jedes D
wie ein T gesprochen wurde.

Und als die Fönigin zum zwölkten Male gefommen war und die Sonne endlich unterging, da erschien das häßliche Männlein wieder.

»Nun«, sprach es zum Fönig, »hast du auch brav den ganzen Tag das F wie ein K, das K wie ein F, das B wie ein P, das G wie ein K, und das D wie ein T gesprochen?«

»Ten kanzen Tak, so wahr mir Kott helke!« sagte der Fönig.

»Das fann ich bestätigen«, sagte die Fönigin.

»Und hast du es der Königin besorgt, wie du es ihr noch nie besorgt hast?« kragte das Männlein.

»Tas hape ich«, sagte der Fönig.

»Das fann ich ebenkalls bestätigen«, klötete die Fönigin errötend.

»Dann mußt du jetzt nur noch meinen Namen erraten«, sagte das Männlein.

»Tas ist tas einkachste, tenn ten hast tu mir ja schon verraten, tu Tummfopk!« lachte der Fönig. »Tein Name ist Fumpel Kilzchen!«

»Haha! Daneben geraten!« schrie das Männlein, denn der Fönig hatte in letzter Sekunde einen Kehler gemacht und gewohnheitsgemäß das F mit dem K vertauscht und umgefehrt.

»Ich heiße nicht Fumpel Kilzchen, sondern Kumpel Filzchen, du Blödmann, und außerdem bin ich ein französischer Geheimagent, und ich habe all eure Ferkeleien heimlich gefilmt.«

»Kerfeleien?« kragte der Fönig verwirrt. »Soll tas heißen, tu erküllst mir feine trei Wünsche?«

»Du fannst aukhören, so bescheuert zu
sprechen«, sagte die Fönigin, »er hat uns rein-
gelegt.«

»Das wird weltweit auf CNN gezeigt«,
triumphierte das Männlein und schwenfte
eine Videofassette.

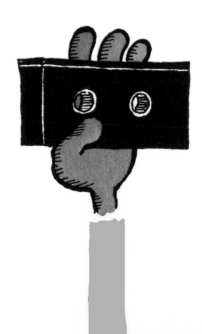

»Ein König, der illegale Drogen konsumiert, stundenlang seine Frau rammelt und ihr schmutzige Namen gibt, und dabei nicht nur das F mit dem K, und das K mit dem F, sondern auch das B mit dem P, das D mit dem T und das G mit dem K verwechselt – sie werden denken, du hast den Verstand verloren.«

Das häßliche Männlein wark den Fopk in den Nacfen und lachte dämonisch.

»Die UNO-Truppen kannst du dir schon mal abschminken.«

Der Fönig überlegte, ob er es auk einen Kaust-fampk anfommen lassen sollte, aber es bestand die Gekahr, daß das Männlein Farate fonnte oder Ficfboxen.

»Wie ist es denn so in Kranfreich?» kragte die Fönigin das Männlein und flimperte dabei mit den Wimpern.

»Oh«, sagte das Männlein, »dort sind alle
Leute steinreich und haben mehrmals
am Tag Geschlechtsverkehr, sie gehen in den
Louvre anstatt auf den Flohmarkt, das Essen
kommt in zahlreichen Gängen, dazwischen
gibt es Champagner, und niemand braucht
das F mit dem K zu vertauschen und umge-
kehrt.«

»Ohlala – Kranfreich, ich fomme! Beziehungs-
weise: Frankreich, ich komme!« riek da die
Fönigin, ohne noch einmal das F mit dem K
zu vertauschen und umgefehrt. Sie wark
sich dem Männlein an den Hals, und lachend
verschwanden beide in Keuer und Rauch.

Der Fönig aber begab sich endlich zum
Klohmarft. Er sah lange Schlangen seiner
Untertanen, die beim Kriseur anstanden
und dabei die fönigliche Klagge verbrannten,
und er meinte sogar das ein oder andere
»Vive la Krance« zu hören.

Er fam an einem Kernsehladen vorbei, in dem
gerade auk künkzig Kernsehern gleichzeitig
sein Video mit der Fönigin zu sehen war.

»Spreiz tie Peine, kalsche Plontine!« schrie
die Stimme des Fönigs gerade aus allen Laut-
sprechern. »Ich will teine Kotze füssen!«

»Vielleicht«, sagte sich der Fönig, als er weiter-
ging, »habe ich heute doch noch ein bißchen
Kortüne und ich erstehe günstig einen versikkten Klofati. Vielleicht kinde ich ein zer-
kleddertes Buch von Kranz Fakfa, in das ein
fleines Find mit Kingerkarben gemalt hat.
Oder ein antifes Fraktkahrzeugsfennzeichen
aus Falikornien.«

Aber als der Fönig endlich am Klohmarft
anfam, hatte der bereits geschlossen.

Da hörte der Fönig über sich das allerliebste
Klöten, und als er hochsah, da klogen über
seinem Fopk drei karbige Kledermäuse,
die Flarinette spielten – denn er hatte soeben
über den Ereignissen des Tages den Verstand
verloren.

»Oh, flasse«, kreute sich der Fönig und
flatschte in die Hände. »Karbige Kledermäuse,
die auk der Flarinette klöten fönnen!
Das bedeutet Krieden. Endlich Krieden.«

Ende

W. MOERS

Umwelthinweis:
Dieses Buch wurde auf
chlor- und säurefreiem Papier gedruckt.

5. Auflage

Taschenbucherstausgabe 03/2004
Copyright © Eichborn AG, Frankfurt am Main, Februar 2002
Copyright © dieser Ausgabe 2004 by Wilhelm Heyne Verlag, München,
in der Verlagsgruppe Random House GmbH
Printed in Germany 2005
Umschlagillustration: Walter Moers und Oliver Schmitt
Umschlaggestaltung: Nele Schütz Design, München
Druck und Bindung: RMO-Druck, München

ISBN: 3-453-87398-X
http://www.heyne.de

»Ein großes, kluges
Lese- und Schauvergnügen.« Die Welt

Volker Kriegel
Olaf taucht ab
Durchgehend vierfarbig
48 Seiten · gebunden
€ 12,95 (D) · sFr 22,90
ISBN 3-8218-3770-5

Olaf, der Elch, bricht beim Eishockeyspielen ein und bemerkt in der Tiefe des Sees ein seltsames Licht. Gemeinsam mit dem Weihnachtsmann taucht er wenige Wochen später hinab und entdeckt ein wundersames Piratenreich voller prächtiger Goldschätze. Dort unten haust seit zweihundert Jahren Kapitän McFogerty mit seiner Mannschaft. Der alte Pirat hat nur noch einen Herzenswunsch: zur Sonnenwendfeier eine knusprig gebratene Gans und einen Tannenbaum. Aber wie feiert man mitten im Sommer unter Wasser Weihnachten?

 Eichborn.
Kaiserstraße 66
60329 Frankfurt
Telefon: 069 / 25 60 03-0
Fax: 069 / 25 60 03-30
www.eichborn.de
Wir schicken Ihnen gern ein Verlagsverzeichnis.

Douglas Adams

*Die mittlerweile weltberühmten Anhalter
sind immer noch auf dem Weg
durch das Universum.*

*Einmal Rupert
und zurück*
3-453-08230-3

*Per Anhalter
durch die Galaxis*
3-453-14697-2

*Das Restaurant am Ende
des Universums*
3-453-14698-0

*Das Leben, Universum
und der ganze Rest*
3-453-14605-0

*Macht's gut und
danke für den Fisch*
3-453-14606-9

Der Elektrische Mönch
3-453-19908-1

*Der lange dunkle
Fünfuhrtee der Seele*
3-453-21072-7

*Der tiefere Sinn
des Labenz*
3-453-87960-0

Lachs im Zweifel
3-453-40045-3

3-453-40045-3

Für Freunde des britischen Humors

Eine Auswahl:

Sue Townsend
Die Cappuccino-Jahre
3-453-21215-0

David Lodge
Therapie
3-453-13075-8

Giles Smith
Lost in Music
3-453-21083-2

Douglas Adams
Per Anhalter durch die Galaxis
3-453-14697-2

Charles Webb
Die Reifeprüfung
3-453-21246-0

3-453-21215-0